GILBERT DELAHAYE
MARCEL MARLIER

martine
la leçon de dessin

Texte de JEAN-LOUIS MARLIER

casterman

Aujourd'hui, c'est la première visite de Patapouf chez les "artistes" monsieur et madame Surkoff.

– Vas-y sans moi, dit Patapouf. Je vais t'attendre ici. Je préfère jouer dehors !

Et puis c'est quoi des artistes ? C'est pas méchant au moins ?

Le petit chien se méfie. Il n'aime pas les nouvelles têtes !

– Allons Patapouf ! Viens donc ! Ils ne vont pas te faire de mal.

– Bonjour Martine. Ah ! voici notre nouveau modèle ! Bonjour monsieur Patapouf, entrez ! Comme il est mignon ! Mon mari sera ravi de "croquer" un petit chien comme celui-là !

– Me croquer ? Vite Martine, partons !

4

– Du calme ! Personne ne te mangera ! Croquer veut dire "prendre des croquis", dessiner si tu préfères.

Martine est très fière car monsieur Surkoff lui a demandé s'il pouvait faire le portrait de son ami et c'est aujourd'hui la première séance de pose.

La pièce est très grande, toute baignée de lumière.
Martine dépose Patapouf sur une table basse.
Elle le caresse doucement pour qu'il cesse de trembler.
– Tu es certaine que ce monsieur en blanc n'est pas un vétérinaire ? Moi j'ai horreur des vaccins !

– Un papier, un crayon… ne bougeons plus !

Martine observe le monsieur.
Comme il semble heureux !
La main est rapide, le crayon glisse
et fait du bruit sur le papier...
Un trait ici, quelques hachures là...
une truffe noire apparaît et voilà
un Patapouf... en miniature !
Une feuille, encore une feuille...
les croquis se succèdent très vite.
– Prends des crayons toi aussi et montre-moi ce que tu sais faire.
Martine ne se fait pas prier. Mais Patapouf n'apprécie pas du tout !
– Encore des dessins qui vont me ridiculiser ! La dernière fois elle m'a
dessiné tout en rouge avec un nez bleu !

6

Le petit chien n'arrête pas de bouger.

Martine s'impatiente :

– Je crois que je vais plutôt dessiner ce chien en plâtre.

Lui au moins se tiendra tranquille !

Patapouf est jaloux :

– Qui c'est lui ? C'est même pas un vrai ! Il ne peut pas remuer la queue quand il est content, ni te consoler quand tu es triste !

– Allons, ne pleure pas ! Tu sais bien que tu seras toujours mon préféré !

– Montre-moi cela... mais c'est très bien !
Tu as déjà un bon coup de crayon !
Martine aime dessiner. Pour sûr, ce n'est pas facile,
mais c'est si amusant.

– Sur le papier, on peut tout faire, tout inventer,
dit monsieur Surkoff. On peut par exemple...
dessiner un Patapouf qui vole dans le ciel.
Quelques traits... et le voilà roi des oiseaux !

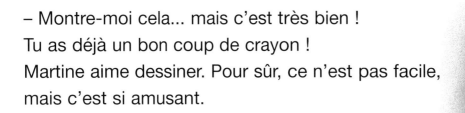

Un peu d'imagination, un peu
de mine de plomb, et le personnage
porte un chapeau, fume la pipe
ou joue du violon.

S'il est trop grognon, on lui dessine un sourire et on lui fait danser la polka... en avant la musique !

Ou encore... le voici très long avec plein de pattes.
– Moi, j'aimais mieux "roi des oiseaux", pense Patapouf.

Le dimanche suivant, Martine est dans l'atelier.
Sur le chevalet, il y a une toile ébauchée...
– Oh ! Regarde, Patapouf ! C'est toi !
– Tu as vu, dis, tu as vu comme je suis beau !
– Bonjour Martine ! Tu tombes bien. Peux-tu
m'apporter la corbeille de fruits qui est là ?
Merci ! une pomme ici... là une poire... L'important
c'est la composition. Il faut bien disposer les modèles
et avoir une bonne lumière.
– Il va faire des confitures ? se demande Patapouf.

– Avec un fusain, nous allons dessiner ces fruits et ensuite, nous y mettrons un peu de couleur avec de la peinture à l'huile. Regarde bien, je mélange du jaune et du rouge pour obtenir de l'orange.

Pour le vert, je mêle le jaune puis le bleu. Un peu de soleil ici et puis une ombre, un peu mauve juste là !
C'est passionnant d'observer le peintre. Martine s'émerveille devant cette toile blanche qui se transforme peu à peu en corbeille de couleurs. Pendant ce temps, Patapouf furète partout en chantant :
"La peinture à l'huile, c'est bien di-ffi-cile…"

– Et maintenant, allons planter le chevalet dehors pour profiter du paysage !

Cette fois, c'est plus difficile que les fruits dans la corbeille : il faut dessiner le ciel et les nuages, il faut dessiner les arbres, il faut dessiner les maisons qui sont toutes proches, mais aussi celles qui paraissent plus petites parce qu'elles sont très loin. Tout là-bas, les tonalités sont plus légères et plus bleues.

On peut peindre la réalité mais on peut aussi la transformer...
Oublier volontairement le modèle pour peindre les images et
les rêves qu'on a dans la tête... C'est de la vraie magie !
Il ne faut pas trembler. Tantôt le pinceau se promène tout
léger sur sa pointe, tantôt il s'écrase lentement sur la feuille.

Attention, pas trop d'eau !
Et là, il faut contourner sans que
les teintes ne se mangent.
Comme elles sont jolies,
les couleurs du jardin.
Jamais Martine ne les a si bien
regardées. Du rouge, du bleu,
du jaune, des milliers et des
milliers de nuances et de
mélanges différents. Quand on
dessine, on s'étonne de tant de détails
inconnus, tant de belles choses que
l'on n'avait jamais vues...

Un petit insecte s'est posé
sur la main de Martine.
– Veux-tu que je fasse ton portrait ?
Pas facile ! Combien as-tu
de pattes ? Arrête de courir, je ne parviens pas
à les compter. En tout cas, tu as de bien
jolies antennes, et des ailes avec toutes
les couleurs de l'arc-en-ciel.

– Cette bestiole est laide comme un pou.
Je ne vois vraiment pas ce que tu lui trouves.

14

Mais voilà que le tonnerre gronde.
L'orage va bientôt tomber.
– Regarde, Patapouf ! Les nuages
sont gris et bleu foncé,
et puis là-bas, très noirs.
Ils avancent vite les uns derrière
les autres… ils se bousculent.

Je vais les dessiner pour en garder un souvenir. Trop tard...
le grand vent se lève et... flic ! floc !… La pluie tombe déjà.
Vite ! Il faut ramasser papiers, aquarelles, pinceaux et courir
se mettre à l'abri !

– Entrons ici. Dis donc, "gros" Patapouf,
tu es tout mouillé ! Et tu mets tes pattes
pleines de boue sur mes feuilles !
– Et si je veux faire l'artiste moi aussi...
D'ailleurs je ne suis pas "gros" !
Pour me venger, je me secoue.
Voilà !

– Noooon Patapouf ! crie Martine.
Voilà, mes beaux dessins trempés.
Les couleurs se mélangent.
Patapouf est tout penaud.

– Heu... c'était pour rire !
je ne recommencerai plus.
– Allons ! je te pardonne pour cette fois.
Après tout, des dessins j'en ferai d'autres,
dit Martine en souriant.
Patapouf retrouve sa bonne humeur.
Le cœur léger, il visite l'atelier où ils
sont venus se mettre à l'abri.

Mais soudain il se fige, tremblant de peur. Là, devant lui…
une forme étrange... immobile sous un drap blanc...
C'est un fantôme !
– Quel chien froussard tu fais. Tu vois bien qu'il s'agit d'une
sculpture ! dit Martine. Tous deux s'avancent pour soulever
le linge mouillé...
– On ne touche à rien ! gronde monsieur Surkoff.
(Il vient d'entrer en faisant la grosse voix pour impressionner
les deux curieux.) Ici , c'est l'atelier de modelage, et là c'est
mon projet pour l'exposition du 15 octobre. Personne ne peut
le voir avant cette date. Top secret...

Maintenant, monsieur Surkoff sourit.
– C'est de la terre ? demande Martine.
– Oui ! De la glaise, une terre comme
pour faire les tuiles des maisons.
Tu peux en prendre, si tu veux. Il y en a
plein le coffre.

– Facile ! c'est comme
de la pâte à modeler.
Une petite boule,
un boudin, encore
des petites boules…
– Martine, je te préviens.
Si tu oses dire que cette
horreur c'est moi, je m'en vais !
– Bêta ! Tu vois bien que ce n'est pas
un chien, c'est un âne pour la crèche de Noël. Et puis là c'est un bœuf…
et aussi des moutons tout bouclés.

18

Monsieur Surkoff est un véritable
artiste. En quelques minutes,
il a modelé une superbe
réplique de Patapouf.
Déjà, le petit chien
se met à rêver...

– Regarde, Martine ! On pourrait la faire
en grand et la placer dans le parc avec mon nom : PATAPOUF Ier !
Et gare aux chiens mal élevés qui voudront faire pipi dessus.
– La statue d'un chien ? Et pourquoi pas ! dit le vieil artisan qui sourit.

Nous sommes le 15 octobre, jour de la grande exposition.
Martine n'a pas accroché ses dessins ni ses petits modelages.
Et pourtant elle est là... elle est même présente deux fois...
Il y a la vraie Martine, et puis une autre, une Martine immobile,
une Martine en bronze.
Voilà le fantôme ! voilà le secret de monsieur Surkoff !
Martine et Patapouf lui ont servi de modèles.

Mais d'où viennent ces cris ? et tous ces aboiements ?
Non ! les chiens ne peuvent pas entrer. C'est interdit,
mais Patapouf s'en moque. Il faut absolument qu'il entre avec
ses copains pour prouver qu'il a dit vrai !
Quelle pagaille ! et comme Martine a ri lorsqu'elle a vu entrer
Patapouf suivi du grand Ben, de Princesse, et même de Puce,
le petit chihuahua !

Si vous vous promenez un jour dans la bonne ville de Tournai,
vous pourrez voir cette sculpture, la statue d'une petite fille
et de son inséparable ami.

http://www.casterman.com
Imprimé en Italie. Dépôt légal : octobre 1999 ; D. 1999/0053/256.
Déposé au ministère de la Justice, Paris (loi n° 49.956 du 16 juillet 1949 sur les publications destinées à la jeunesse).
ISBN 2-203-10149-0   ISSN 0750-0580